SPOK
com Nathan Spencer

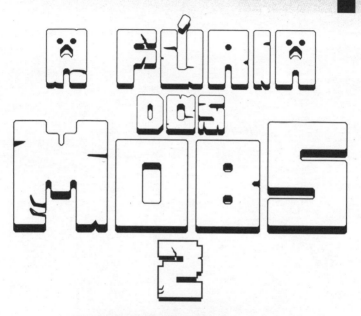

A FÚRIA DOS MOBS 2

A GRANDE BATALHA NO NETHER

Uma aventura não oficial de MINECRAFT

GERAÇÃO jovem

Copyright © 2016 by Geração Editorial

1ª edição – Março de 2018

Grafia atualizada segundo o Acordo Ortográfico da Língua Portuguesa de 1990, que entrou em vigor no Brasil em 2009

Editor e Publisher
LUIZ FERNANDO EMEDIATO

Diretora Editorial
FERNANDA EMEDIATO

Assistente Editorial
ADRIANA CARVALHO

Capa e Projeto Gráfico
ALAN MAIA

Ilustração de capa
ESTÚDIOMIL

Preparação
JOSIAS ANDRADE

Revisão
MARCIA BENJAMIM

DADOS INTERNACIONAIS DE CATALOGAÇÃO NA PUBLICAÇÃO (CIP)
(Câmara Brasileira do Livro, SP, Brasil)

Spok
A fúria dos Mobs: A grande batalha no Nether / Spok, com Nathan Spencer.
-- São Paulo : Geração Editorial, 2017.

ISBN 978-85-8130-397-0

1. Jogos eletrônicos 2. Jogos por computador 3. Minecraft 4. Recreação 5. Videogames I. Título.

16-04250   CDD: 794.8

Índices para catálogo sistemático

1. Videogames : Jogos por computador : Recreação   794.8

GERAÇÃO EDITORIAL

Rua João Pereira, 81 – Lapa
CEP: 05074-070 – São Paulo – SP
Telefone: (+ 55 11) 3256-4444
E-mail: geracaoeditorial@geracaoeditorial.com.br
www.geracaoeditorial.com.br

Impresso no Brasil
Printed in Brazil

Esta história não oficial de Minecraft é um trabalho original de *fanfiction*, não sancionado nem aprovado pelos responsáveis pelo jogo Minecraft. Minecraft é uma marca registrada e de direitos autorais da Mojang AB, que não patrocina, autoriza ou endossa este livro. Todos os personagens, nomes, lugares e outros aspectos do jogo descritos nesta obra são marcas registradas e, portanto, propriedades de seus respectivos donos.

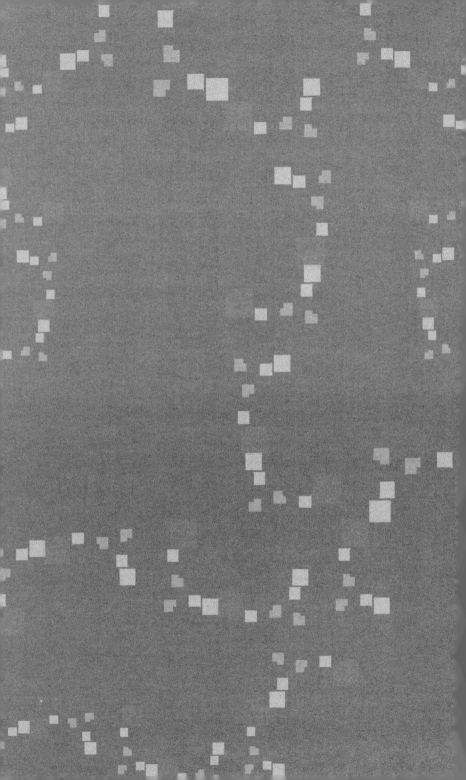

AGRADECIMENTOS

Agradeço primeiramente a Deus por sempre fazer coisas maravilhosas em minha vida.

Agradeço a você, maninha ou maninho, que sempre assiste e interage com o mano Pó, e que está lendo a segunda parte dessa aventura, afinal, ela foi feita pra você! Muito obrigado por tudo e espero que se divirta tanto quanto na primeira.

Um forte abraço do Spok

Fui.

Aliás, vamos né? Pois a aventura vai começar.

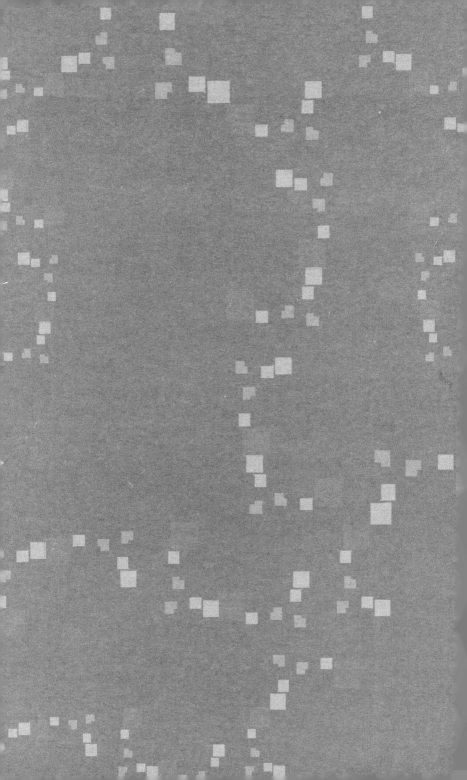

SUMÁRIO

1. O retorno de Maya, a aranha 9
2. De volta à aldeia 13
3. A fuga 21
4. Na vila dos aldeões comerciantes 25
5. De volta à toca 33
6. Uma terrível revelação 39
7. Maya e Egon no Nether 45
8. Preparando-se para a viagem 53
9. A fortaleza 59
10. Spok e seus amigos partem para o Nether 65

SPOK

11. Em apuros 71

12. Atravessando o portal mágico 77

13. O *Wither Boss* 85

14. Chegando ao Nether 93

15. Os terríveis planos do *Wither Boss* 99

16. A caminho da fortaleza 105

17. A batalha 113

18. Sempre juntos 123

CAPÍTULO 1
O RETORNO DE MAYA, A ARANHA

— Maya! — uma voz baixa e nervosa sussurrou.

Maya, a furiosa aranha que articulou a revolta dos mobs, ficou confusa ao ouvir aquele chamado.

— Quem é? — ela gritou com sua voz esganiçada.

— Egon, zumbi. Libertar rainha!

Maya levou um susto. Não podia ser! Já estava presa naquele buraco havia meses, sem comer nem beber, morrendo e renascendo, uma verdadeira tortura! Não imaginava que pudesse ser salva, ainda mais por um zumbi extremamente estúpido como Egon.

Mas Maya era esperta. Tratou logo de conter a emoção e aproveitar a sorte:

— Egon, meu querido zumbi. Como esqueceria de um companheiro tão nobre e valente?! Como conseguiu chegar até aqui?

SPOK

Maya ouviu o som de uma picareta quebrar a parede ao seu lado. Logo surgiu a cabeça do zumbi, abobado e todo sujo de terra.

— Maya, mestra de "nós"! Mim, Egon, vim salvar! Egon achar o mapa de Pedro com esconderijo de rainha. Mim passar um mês cavando.

O coitado do zumbi realmente estava em frangalhos. Maya ficou satisfeita ao ouvir aquilo. Riu por dentro, porque sabia que havia um motivo a mais para Egon ter feito tudo aquilo. O zumbi era morto de amores por ela.

Esticando suas longas patas, Maya se aproximou de Egon, fingindo um abraço. O zumbi ficou todo bobo!

Com seus oito olhos vermelhos ela olhou para ele e decretou:

— Egon, você será o 1º general de nosso novo exército. Temos uma árdua missão pela frente, mas teremos a vitória — ela ergueu as patas peludas para cima, sacudiu e gritou, cheia de fúria:

— Nós vamos trazer os mobs do Nether para nosso novo exército! — e deu uma gargalhada sinistra, que ecoou por toda a extensão da gruta, agora maior.

CAPÍTULO 2
DE VOLTA À ALDEIA

Spok acordou cheio de energia!

Todo descabelado, pulou da cama, abriu a porta da cabana e foi se espreguiçar.

Enquanto a maior parte da galera ainda estava babando no travesseiro, Spok se jogou no chão e fez algumas flexões. Era importante cuidar do corpo. Comer bem, se exercitar bem... Pra lutar bem!

— E aí, Spok! — alguém gritou, e logo em seguida houve uma explosão: bum!

Spok não esperava por aquela. O susto foi tão grande, que ele se desequilibrou e bateu a cara no chão. Num segundo se levantou e ficou em posição de combate. Sentia as batidas do coração vindas na garganta.

Authentic, que estava agachado atrás dele, caiu numa risada escandalosa.

— Ha! Ha! Ha! — caramba, Spok! É só um mini *creeper*, cara! — falou Authentic.

A explosão tinha aberto uma pequena cratera no chão. Spok olhava para o buraco, pasmado.

— Você ainda vai acabar explodindo a aldeia toda com essas ideias malucas de fabricar *creepers*.

Authentic deu um tapinha no ombro do amigo e arregalou os olhos antes de falar:

— Isso foi pra você ficar mais ligado! — hoje preciso desse seu cérebro funcionando na velocidade máxima, sacou?

Spok balançou a cabeça, mas logo concordou com Authentic.

— É isso aí! — exclamou Spok, dando um salto. Ele começou a alongar os braços e as pernas com vigor. — Tô ansioso pra ir logo na vila dos aldeões trocar nossas esmeraldas! Nem dormi direito. Finalmente temos o suficiente para conseguir livros mágicos. Esperei tanto tempo por isso!

Authentic fez que sim com a cabeça.

A FÚRIA DOS MOBS 2

— Eu também! Sinto que teremos grandes surpresas daqui pra frente. — e fez uma cara misteriosa para o amigo Spok.

✳ ✳ ✳

Era verão no mundo de Minecraft, a estação preferida de todo mundo da aldeia! Com sol e calor abundante tudo ficava mais fácil! E DIVERTIDO. Desde plantar até caçar animais nas montanhas.

O inverno era complicado. Congelava as florestas, os rios... e fazia os animais se esconderem nas tocas por longos períodos. Tudo era difícil e a preguiça era a grande inimiga. Sem falar no frio... Já no verão podiam nadar nos rios, pescar, colher cogumelos e tomar banho sem sofrer com a água gelada do inverno.

✳ ✳ ✳

Perto das 7 da manhã, todo mundo já estava de pé. Pac e Mike apostavam corrida até chegar aos cercados dos animais. Eles iam tirar leite das vacas e colher ovos das galinhas para o café da manhã.

SPOK

— Vê se não deixa os ovos caírem e virarem omeletes antes do tempo! — gritou Likea para os dois, que eram famosos por deixar isso acontecer.

— Pelo menos a gente consegue tirar o leite da vaca, né, Mike? — disparou Pac para o amigo.

Likea ficou vermelha de raiva. Aquela era a única tarefa que ela não conseguia desempenhar. Por algum motivo as vacas não liberavam seu precioso leite quando ela tentava ordenhá-las.

— Tá tudo bem, Likea — falou Cauê, que chegava por ali com um monte de feno para alimentar os cavalos. — Só não é mais difícil que tentar hipnotizar um mob para fazê-lo ficar bonzinho, né?

Os três caíram na risada, e Likea ficou ainda mais vermelha. Sim, ela tinha tentado hipnotizar um zumbi com um relógio de pêndulo, acreditando que ele pudesse se tornar um mob bonzinho. E o resultado disso?

O zumbi ficou maluco, pulou numa fogueira e morreu...

— Pelo menos rendeu um churrasquinho de carne podre! — zombou Mike.

— E uma baita dor de barriga depois... — complementou Pac.

A FÚRIA DOS MOBS 2

— Vou colocar nossas esmeraldas nos baús de transporte... Melhor do que ficar aqui ouvindo baboseiras de vocês! — Likea rebateu e saiu em direção ao centro da aldeia. Os três garotos ficaram nos cercados trabalhando e fazendo zombaria.

Enquanto alguns tomavam café, outros já corriam para seus postos nas guaritas de segurança da aldeia. Outros selavam os cavalos para excursões de caça; já outros corriam com cestas em direção às plantações, que estavam carregadas de lindos frutos! Havia melancias, maçãs, abóboras, cenouras, batatas... A colheita daquele ano seria incrível.

Naquele dia Spok, Authentic, Likea, Nofaxu e Cauê tinham uma missão especial. Eles iriam viajar até a vila de aldeões do norte para trocar esmeraldas por itens especiais como sementes raras, armas e armaduras encantadas e minérios.

Negociar com os aldeões não era tarefa fácil, todos sabiam disso. Apesar da fama heroica que nossos amigos tinham conseguido com a batalha contra os mobs, os aldeões mantinham seus preços e exigências para troca de mercadorias.

Spok e seus amigos estavam ansiosos além da conta, porque nunca tinham acumulado tantas

SPOK

esmeraldas para trocar. O que significava que iriam conseguir muito mais itens novos e raros. Eles ficavam com os olhos brilhando só de pensar.

Authentic queria conseguir *muuita* pólvora para seu arsenal, além de armaduras boas para os cavalos; Likea sonhava com os livros de encantamentos e feitiços; Nofaxu e Cauê queriam conseguir a famosa poção de voar! Já o sonho de Spok era obter o arco lendário do grande dragão! Era uma peça sobre a qual só se falavam nas lendas antigas. Diziam que somente uma pessoa em todo o universo poderia tê-la. Que era feita de materiais jamais vistos por alguém em Minecraft. Ninguém sabia o preço do arco de esmeraldas, se é que ele tinha um preço. Nem sabia em que aldeia ele poderia ser ofertado. Na verdade, ninguém sabia nem sequer se o tal arco existia.

O legal mesmo era sonhar com ele. Spok sabia disso. Quem sabe ele não era real?! Isso deixava tudo mais interessante...

CAPÍTULO 3
A FUGA

Egon tinha conseguido tirar Maya daquela enrascada, quer dizer... Da caverna!

Como um bom servo, aquele zumbi bobo quase tinha morrido de exaustão até encontrar Maya. Ele arriscou a vida cortando toda a fiação de bombas que havia sido colocada para explodir a aranha diante de qualquer movimento suspeito.

E sabe o que o pobre Egon comia? Minhocas! Só minhocas magricelas e sem sal, que vez ou outra ele encontrava nas paredes. Esse foi seu alimento durante semanas.

Tinha levado dias, e muito sofrimento, mas agora ele conduzia orgulhosamente sua mestra pelo túnel escuro, em direção à liberdade!

SPOK

Egon ia na frente, agachado, e Maya vinha logo atrás, caminhando sobre suas longas patas peludas. Ela estava feliz por conseguir se mexer novamente.

— Egon, meu bom menino — ela falou para o zumbi, que virou a cabeça, abobado e todo contente com a atenção da rainha —, você será muito bem recompensado pelo que fez! — E bateu nas costas do zumbi com sua pata dura. — Banquetes, ouro, poder e glória!

Foi isso que ela falou, mas em sua mente ela dava gargalhadas. Maya não tinha escrúpulos.

"Até parece que vou dar bola para um zumbi estúpido como esse. Me salvou, mas não fez mais que a obrigação, ora! Eu sou Maya! Não tenho paciência para burrice perto de mim, não. Vai trabalhar descascando cebolas na cozinha, e é pra ficar feliz..."

— Egon, você já se imaginou com roupas de general? — ela fingiu uma voz doce. — Tenho certeza que vai ficar um zumbi lindo!

— Maya, rainha, Egon feliz muito! — ele balbuciou, batendo a cabeça no teto do túnel, de tão bobo que estava.

Agora ela estava de volta, plena e ainda mais disposta a fazer tudo que estivesse a seu alcance para se tornar a rainha absoluta de Minecraft.

CAPÍTULO 4
NA VILA DOS ALDEÕES COMERCIANTES

Spok e seus amigos chegaram à vila dos aldeões.

Cada um vinha em seu cavalo, e ao lado de cada cavalo havia baús com os tesouros da aldeia... Dezenas de lindas esmeraldas! Essas eram as moedas de troca que interessavam aos aldeões comerciantes.

Os garotos foram recebidos com festa pelos habitantes do lugar: crianças, adultos, o sacerdote, o padeiro, o ferreiro... Todos foram saudar os heróis que tinham derrotado o dragão e salvado os humanos da fúria dos mobs!

Tanta fama deixou os garotos um pouco sem jeito. Quando chegaram ao centro da aldeia, receberam uma cesta de presentes das mãos de uma criancinha ruiva. A garotinha tirou lentamente a toalha que cobria a cesta. Ali havia pães, frutos raros, frascos de poções mágicas e pepitas de ouro e diamante. Uma coisa linda de ver!

— Uau!!! — Os meninos ficaram boquiabertos.

O sumo sacerdote da aldeia se aproximou e fez uma reverência. Era um velho baixinho, vestido numa túnica escura e com feição bondosa:

— Recebam esta humilde oferenda como um agradecimento dos aldeões da vila do norte pela bravura com que vocês, pequenos heróis, lutaram contra a maldade do exército mob.

— O-o-obrigado! — os meninos gaguejaram, vermelhos. Após isso foram conduzidos até a cabana do bibliotecário da aldeia, para começar as negociações.

× × ×

Era uma cabana simples, quase toda feita de pedra, o telhado e o piso eram de madeira. Em seu interior havia várias estantes, todas abarrotadas de livros. Havia também algumas mesinhas de madeira.

A FÚRIA DOS MOBS 2

De braços cruzados, dois aldeões responsáveis pela negociação observavam os garotos tirarem as lindas esmeraldas dos baús.

Os olhos deles brilharam ao ver algumas das maiores pedras. Eram simplesmente magníficas!

Ao terminarem de depositar as pedras na mesa, os meninos ficaram aguardando as propostas dos aldeões.

O aldeão de túnica verde falou:

— São maravilhosas! — Ele pegou a maior delas e mediu seu peso com a mão. Depois trocou olhares com os outros dois aldeões e voltou-se para os meninos:

— Temos interesse em todas elas. Queremos oferecer... — mas o aldeão foi interrompido de súbito por uma forte pancada na porta.

Todos se viraram num salto. Spok e Authentic se colocaram à frente de todos, sacaram suas espadas de diamante e apontaram para a porta.

Mais uma batida violenta e a porta se abriu. Por ela entrou um velho aldeão, que logo caiu no chão. Ele tentava falar, mas não conseguia, estava muito nervoso. Sua mão trêmula apontava para o lado de fora. Spok conseguiu notar uma

SPOK

pequena multidão que se formava em torno de alguma coisa.

O que seria aquilo?

Com cuidado, os quatro saíram pela porta e foram até o amontoado de pessoas, que estava bem ao lado do poço da aldeia.

Eles não faziam ideia do que poderia ser.

Num segundo a coisa que estava no centro daquela confusão pulou do chão e ficou levitando no ar! Todos olharam para cima sem acreditar no que viam.

A "coisa" vestia uma túnica roxa e olhava para baixo, de braços cruzados. Ela encarava diretamente Spok.

Era uma bruxa!

— Quem é você e o que quer aqui? — Authentic perguntou, e seu tom era de irritação. — Se tentar qualquer coisa contra esta aldeia, terá que passar por cima de nós!

A bruxa nem sequer olhou para Authentic. Ela encarava Spok. Seus olhos eram frios e assustadores.

Authentic ia falar mais alguma coisa, porém Spok o interrompeu. Por algum motivo ele sabia que aquela parada era com ele.

A FÚRIA DOS MOBS 2

— O que você quer comigo? — ele perguntou para a bruxa, que focou o olhar para a cabana do bibliotecário.

— Ela quer conversar comigo — disse Spok.

— É perigoso! — advertiu Likea. — Você não tem noção do que essas bruxas são capazes. Lembra daquelas do exército mob? Elas não têm nada para oferecer de bom para nós!

Os aldeões comuns olhavam para cima, abismados. Muitos deles achavam que bruxas nem existiam. Os anciães da aldeia apenas observavam. Pareciam curiosos.

— Pode ser, mas eu vou com você! — exclamou Authentic para Spok.

— Tá.

A bruxa começou a se movimentar devagar no ar. Ela foi em direção à cabana e entrou, sem fazer cerimônias.

Spok olhou para o sacerdote da aldeia e este fez um sinal positivo com a cabeça. Podia ser algo importante. Ele tinha que pagar pra ver.

— Vamos, Authentic! — ele disse, e os dois foram até a cabana encontrar a misteriosa bruxa.

CAPÍTULO 5
DE VOLTA À TOCA

Enquanto Spok e Authentic encaravam aquele mistério na aldeia do norte, Maya e Egon finalmente saíam do túnel.

— Viva! — gritou Maya com sua voz estridente. Ela começou a andar entre as árvores, esticando as patas e observando tudo a seu redor. Chovia um pouco, mas os raios do sol entravam pelas frestas das árvores, iluminando a paisagem.

Egon estava deitado no chão, simplesmente exausto; porém, satisfeito. Olhava para sua musa Maya, que pulava de um canto a outro, saboreando sua liberdade.

Mas aquele momento de descontração não durou muito. Logo Maya falou:

— Vamos! Temos muito o que fazer! — seu tom já não tinha o carinho de antes. Egon estranhou, mas não falou nada, só encarou o chão, tristonho.

Ela levantou o zumbi com suas patas e o ergueu. Seu olhar era assassino, hipnótico. Por estar impaciente, ela o colocou nas costas e começou a andar.

Andaram por muitos quilômetros. Maya tinha uma energia infinita! Egon estava impressionado. Perto do cair da noite, chegaram à entrada de uma gruta arrepiante. Era a velha toca de Maya.

— Muito bom! Aquele traidor maldito não ousou mexer na minha casa! — ela disse, e jogou o zumbi com força no chão. Feito isso, começou a descer.

— Venha! — ela disse, e o zumbi obedeceu.

Quanto mais desciam, mais arrepiante ficava. Havia ossos enrolados em teia de aranha caindo das paredes! Egon percebeu que eram de animais, mas também de mobs, até de zumbis e aranhas!

"Canibal Maya ser, comer zumbi?", ele pensou. Mas continuou seguindo sua mestra. Sua lealdade (e paixonite) estava acima de tudo.

A FÚRIA DOS MOBS 2

— Por ali! — ela deu um guincho e apontou para uma porta imensa feita de ossos. Correu até lá, e com uma batida violenta, abriu a porta do covil.

— Ha! Ha! Ha! — Maya estava louca de alegria. Ela subia pelas paredes sacudindo as patas assassinas. — Tudo está como eu deixei! Minha melhor arma está aqui! Aquelas crianças desgraçadas vão ver só o que farei com elas!

— Oh! — Egon olhava para a grande construção de pedra no centro do covil. Ele não fazia ideia do que era. Parecia um quadrado todo feito de pedra, mas com um buraco no meio. Nesse buraco havia uma espécie de espelho roxo, que soltava faíscas.

O coitado do zumbi não entendeu nada, só achou bonito.

— Meu lindo portal! — gritou Maya diante da coisa roxa... — Aquelas crianças nojentas podem ter vencido aquele dragão incompetente, mas não vão vencer as forças supremas do inferno! Ha! Ha! Ha! — a risada de Maya era sinistra.

Num salto, ela puxou Egon para dentro da coisa roxa...

CAPÍTULO 6
UMA TERRÍVEL REVELAÇÃO

— Sou Ahyra, a bruxa das profecias. Vim aqui para contar algo terrível — a velha bruxa falou para Spok.

— Que coisa terrível? — Spok perguntou, espantado.

— A aldeia onde vocês vivem será destruída. Assim como esta aldeia onde estamos, e todas as outras onde vivem humanos aqui em Minecraft.

Authentic não segurou a risada.

— Desculpe, mas a senhora deve estar meio doida. Devem ser os vapores esquisitos que saem daqueles caldeirões, né, Spok?

Pela primeira vez a bruxa pareceu ficar irritada com ele. Ela olhou fixamente em seus olhos e falou:

— Você é corajoso e inteligente, menino, eu consigo ver. Mas está sendo burro neste momento.

SPOK

— Não gosto de bruxas — Authentic falou para a velha. — Sei de coisas bem sinistras sobre vocês. Vivo aqui há bastante tempo, sabe? Não sou bobo não. Você não vai enganar meu amigo Spok só porque ele é novo por aqui...

— Relaxa, Authentic, sou novo por aqui, mas não sou bobo... — disse Spok. — Vamos pelo menos ouvir o que ela tem a dizer sobre essa tal destruição.

Authentic deu de ombros.

— Tá certo. Você é quem manda, amigão — virou-se para a bruxa: — Pode falar.

— Não me interrompam, serei breve — ela falou, séria. — O equilíbrio entre humanos e mobs está em risco novamente. E dessa vez o perigo é cem vezes maior que o dragão que vocês enfrentaram.

— Como assim? — Authentic perguntou, curioso.

— Maya está de volta. A força de sua maldade ecoou por todas as florestas de nosso domínio. De seus pântanos, nossas companheiras bruxas mandaram sinais...

Authentic e Spok olharam um para o outro, sem entender.

— Nós detectamos o plano diabólico dela. Neste momento Maya está executando sua vingança, num lugar muito longe daqui.

— Mas a gente achava que essa tal aranha tinha ido pro além... — Authentic comentou.

— Pois é... — Spok disse.

— Não. Ela foi aprisionada numa caverna cheia de explosivos, para que nunca saísse de lá. Mas de alguma maneira ela saiu.

— Caramba! — exclamou Authentic. — Então essa aranha pirada está zanzando por aí. Mas o que ela está fazendo de tão perigoso?

— Ela foi para o Nether — a bruxa respondeu, secamente.

O queixo de Spok e Authentic caiu.

— Para onde? — gaguejou Authentic.

— Você só pode estar brincando — falou Spok, mas havia grande tensão na voz dele.

— Bruxas não brincam — foi a resposta.

— Então esse Nether existe? — Spok perguntou, eufórico. Ele achava que não passava de uma lenda pra botar medo nas crianças.

— Claro que existe! — a bruxa respondeu. — Maya está lá agora. Nossos mapas energéticos indicam a posição dela no outro mundo... Sem qualquer sombra de dúvida. — E continuou: — Ela foi para lá decidida a destruir a aldeia de vocês.

SPOK

Então a bruxa explicou brevemente para os garotos o que era o Nether e o que Maya tinha ido buscar lá. Os dois ouviam embasbacados, com o coração saindo pela boca. Segundo a bruxa, Maya tinha um plano para trazer os monstros do Nether para lutar no mundo de Minecraft. Algo que era extremamente proibido.

— Não estou aqui porque gosto de vocês — a bruxa falou.

— Isso a gente sabe — disse Authentic com desdém.

— Estou aqui porque se os monstros do Nether vierem para cá, nós também seremos destruídos. *Creepers*; esqueletos; zumbis; nós, bruxas; e até mesmo as aranhas... Todos os mobs desse mundo serão destruídos também!

— Por que? — perguntou Spok.

— Porque os monstros do Nether destroem TUDO e TODOS que encontram pela frente. Não importa quem seja, ou o que seja.

Um arrepio percorreu a espinha dos dois amigos.

— Se eles vierem para cá, tudo vai acabar. Esse mundo vai virar um inferno tão horrendo quanto o próprio Nether — ela finalizou.

CAPÍTULO 7
MAYA E EGON NO NETHER

O zumbi Egon sentiu um zumbido alto no ouvido. Quando abriu os olhos, quase caiu pra trás.

Na frente dele havia um oceano de lava fumegante. Se zumbis gritassem, Egon teria gritado. Atordoado, pensou que tivesse morrido de vez!

— Inferno, Egon. Quente, queimar pé de zumbi — ele gritou.

— Pare de fazer drama, seu zumbi idiota! Recomponha-se e me siga! — era a voz de Maya. A enorme aranha começou a empurrar Egon, obrigando o coitado a andar por aquele solo esquisito e quente como uma frigideira.

SPOK

— Vamos subir aquela montanha e seguir os cachos de pedra luminosa até encontrarmos a trilha para a fortaleza — Maya finalizou e se pôs a caminhar com rapidez.

O NETHER

Meu amigo leitor, antes de continuarmos acompanhando Maya e Egon em seu caminho por esse novo mundo, preciso falar um pouco sobre ele, o Nether!

Onde fica? O que tem lá?

Bem, se você pensa que o mundo de Minecraft é só aquele paraíso iluminado pelo sol, está enganado...

Além do mundo principal, há outra dimensão que pode ser acessada por um portal mágico. É a dimensão do Nether, que tem uma aparência totalmente diferente de qualquer outro lugar em Minecraft, veja:

Aparência do Nether

É, se parece com um inferno!

Lá tem oceanos gigantescos de lava, além de cascatas de lava altíssimas, cavernas escuras e fortalezas cheias de tesouros!

Fortaleza do Nether: estruturas gigantescas que ocultam tesouros e monstros.

A temperatura lá é tão alta, que o chão se incendeia. É fácil encontrar vários blocos em chamas. Quando alguém vai para o Nether, tem que se alimentar muito mais, porque tudo que você faz gasta mais energia: seja andar, minerar ou lutar contra monstros. Sim... lá tem monstros que não são encontrados no mundo normal!

Algumas curiosidades sobre esse lugar infernal:

- Bússolas e relógios não funcionam;

SPOK

- Camas não funcionam (se você tentar dormir em uma, ela vai explodir e abrir uma baita cratera!);
- Não dá pra colocar água em lugar nenhum, pois ela evapora imediatamente.

Agora vamos conhecer os monstros que habitam por lá:

GHAST: Parecem águas-vivas flutuantes, com nove tentáculos. Quando vão atacar, abrem a boca e os olhos, que ficam vermelhos e assustadores. Lançam  bolas de fogo, um dos ataques mais potentes de Minecraft, junto da explosão de um *creeper*! Outra coisa bem terrível neles é o som que fazem: parecem gemidos de uma criança. Quando são atacados soltam gritos alucinantes.

BLAZE: O *blaze* é um mob amarelo, que está sempre envolto por uma fumaça negra. Ao voar, seu corpo gira, e quando ataca, lança bolas de fogo no inimigo.

Os *blazes* nascem nas *monster spawner* (caixas de nascimento de mobs)  que ficam nas pontas de uma fortaleza do Nether. É possível

A FÚRIA DOS MOBS 2

brotarem até quatro *blazes* por vez. Destruindo a caixa, eles param de nascer. Podem nascer em outros pontos escuros da fortaleza também.

ZUMBI-PIGMAN: É um mob neutro. Ele fica caminhando pelo Nether, às vezes em pequenos bandos, sem atacar ninguém. Mas se você ataca um deles, todos os outros vêm pra cima, numa perseguição implacável que só acaba quando matam você! São imunes à lava e ao fogo.

ESQUELETO *WITHER*: Tem o corpo parecido com um esqueleto normal, a diferença é que este é todo negro e segura uma espada de pedra. Quando ele ataca você, ele te envenena também! Não dá pra matar, mas incomoda pra caramba! Como os outros mobs do Nether, o esqueleto *wither* é imune à lava e ao fogo.

CUBO DE MAGMA: Por último, e para evitar surpresas desagradáveis, você pode encontrar esse ser pelo Nether. Ele é semelhante ao *slime*, fica pulando

SPOK

(parece uma sanfona quando se alonga) e quando é atacado se divide em até quatro pequenos cubos, que atacam o jogador. Mas são bem raros.

Pronto, agora você está por dentro das coisas esquisitas que vivem lá no Nether. Agora vamos continuar a acompanhar nossos heróis e os dois vilões.

CAPÍTULO 8

PREPARANDO-SE PARA A VIAGEM

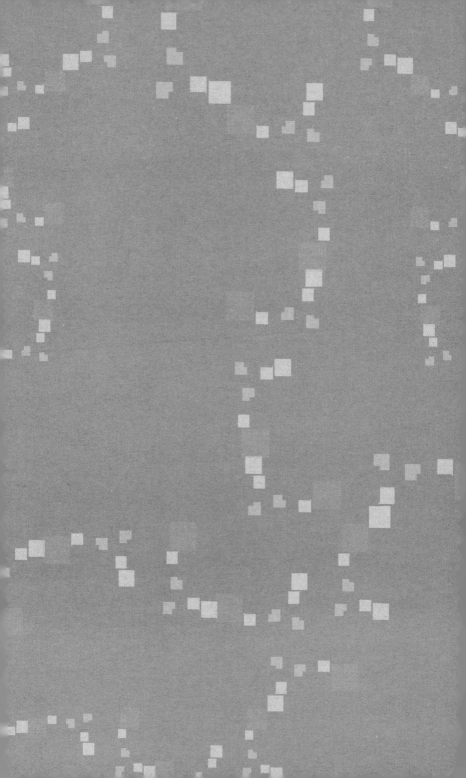

Spok, Authentic, Cauê, Nofaxu e Likea chegaram correndo à aldeia. Toddynho e Jazz, que estavam pescando ali perto, perceberam e vieram saber o que tinha acontecido.

— O que aconteceu, galera? — perguntou Malena, que também achou estranho a chegada dos amigos.

Spok desceu rapidamente do cavalo e voltou-se para Toddynho e Jazz:

— Meninos, peguem os cavalos e as coisas dos baús e levem pro armazém. Depois venham para a cabana do Authentic.

SPOK

Authentic completou, olhando para a garotada que agora estava toda ali, curiosa:

— Não temos muito tempo pra explicações agora. Precisamos que todo mundo venha pra minha cabana e tragam todos os mapas que tiverem.

— É ataque de mob? — perguntou Malena.

— Não, é algo muito pior — respondeu Likea, andando rápido para a cabana de Authentic.

— Vamos, galera! — disse Spok.

Todos obedeceram e foram rápido para a cabana de Authentic, que era a maior da aldeia.

Logo Jazz e Toddynho chegaram pra completar a reunião.

Todos ficaram ao redor da mesa central da cabana, cada um imaginando uma coisa diferente sobre o que tinha acontecido.

— Vamos direto ao ponto — falou Authentic. — Uma bruxa apareceu lá na aldeia do norte, quando a gente estava na cabana dos aldeões. Ela queria falar com Spok.

Todo mundo se virou para Spok.

— Ela não é minha amiga — Spok rebateu.

Authentic continuou:

— Ela veio contar que aquela aranha maluca não morreu. A tal de Maya está viva e escapou do esconderijo onde a haviam colocado. Agora a maldita está a caminho de um lugar que muitos de vocês nem vão acreditar que existe.

Os garotos se entreolharam. Agora tudo estava ainda mais confuso.

— Que lugar, Authentic? — perguntou Malena, séria.

— O Nether — Spok respondeu.

— Impossível! — todos falaram ao mesmo tempo.

— É zoeira, né? — Pac falou, caindo na gargalhada. — Deve ser o dia da mentira e vocês estão querendo tirar onda com a gente. Vai, assume...

Ele bateu no ombro de Mike, seu amigo inseparável, mas este estava sério.

— Não é brincadeira, Pac — falou Spok. — Bem que a gente queria que fosse.

— O que a tal Maya foi fazer no Nether? Coisa boa não deve ser — falou Malena.

— O plano dela é trazer os mobs de lá pra cá — falou Authentic. — Pelo que a bruxa falou, são monstros cem vezes piores do que os mobs daqui.

— Pelas flechas do esqueleto! Não pode ser — falou Jazz, assustado.

SPOK

— Mas é verdade — disse Spok. — Ela vai dar um jeito de trazê-los para destruir tudo por aqui. Ninguém vai ser poupado, nem os próprios mobs...

— Caramba! — falou Malena. — Essa Maya é pior do que eu imaginava.

— Mas como ela vai fazer isso? — perguntou Mike.

— Provavelmente ela usou um portal mágico para chegar lá. As bruxas sentiram as vibrações energéticas. Esse portal levou-a, junto com um mob, para o Nether. Neste momento ela deve estar usando todo o seu veneno para convencer os monstros a nos destruir, como fez para criar o exército mob. — explicou Authentic.

— Não podemos deixá-la vir para cá com esses monstros! Seria o nosso fim, e de todo o mundo de Minecraft — falou Spok, com raiva. — Temos que detê-la.

— Vocês estão sugerindo que... — Malena começou e arregalou os olhos. — Vocês estão sugerindo que a gente vá até o Nether?

— Oh! — a surpresa foi geral.

— Por isso pedimos que trouxessem os mapas — falou Spok. — Temos uma tarefa bem complicada pela frente.

CAPÍTULO 9
A FORTALEZA

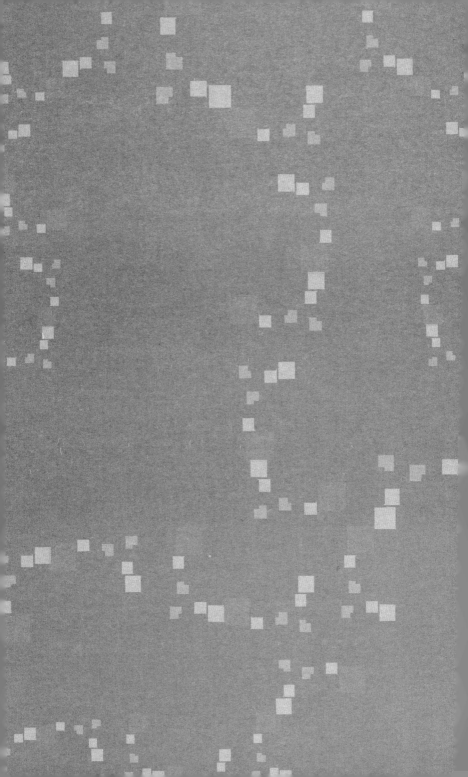

—Eu amo esse lugar! — gritou Maya, enquanto subia os degraus de pedra de uma montanha. Por ser uma aranha, era fácil para ela, já para o pobre zumbi...

— Queimar pé zumbi, quente, derretendo carne podre — ele falou, implorando para fazer uma pausa, mas Maya era implacável.

— Cale a boca, seu imprestável! — ela guinchou, com ódio.

Já estavam caminhando pelo Nether havia muitas horas. Maya parecia feita de aço!

Os dois haviam passado por trilhas estreitas em meio a oceanos de lava pura. De cima ainda caíam cachoeiras fumegantes. Nada de água, nada de comida, nada de tranquilidade. Os sons eram assustadores, a escuridão era quase total, a única coisa que quebrava o breu eram luzes que saíam de umas pedras estranhas que ficavam no teto. Era um lugar simplesmente arrepiante!

Vez ou outra Egon via umas figuras estranhas se movendo ao longe, pareciam zumbis como ele, mas tinham cara de porco... Eram zumbis-*pigman*.

— Se não caminhar mais rápido, vou fazer você nadar nessas piscinas! — gritou Maya quando Egon se distraiu por um segundo olhando um *ghast* que voava.

— Rainha, não, desculpar Egon, ser zumbi bobo.

Quando os dois alcançaram o pico de um grande vale rochoso, Maya deu um grito de satisfação.

— Ali está! — ela apontou uma das patas peludas para uma torre que se erguia do oceano de lava! Era feita de madeira escura.

Egon olhou e percebeu que havia mais daquelas torres.

— São as bases da fortaleza! — gritou Maya se sacudindo, toda contente. — Agora só tenho que chegar até lá e com um pouco de sorte, convencê-los a me ajudar.

Ela virou-se nervosa para Egon e apontou uma pata para o rosto assustado dele:

— Você irá confirmar TUDO o que eu disser, entendeu? TUDO!

— Maya rainha, sim, tudo quiser, Egon servo fiel para sempre — ele falou, esganiçado.

— Muito bem, muito bem! — Maya fez que sim com a cabeça e novamente se virou para a fortaleza. — Agora vamos nos apressar para chegar até o portão principal.

CAPÍTULO 10
SPOK E SEUS AMIGOS PARTEM PARA O NETHER

Até o cair da noite, Spok e os outros não pararam um só segundo. A aldeia estava a todo vapor.

Um velho ancião da aldeia do norte veio para falar a eles tudo o que sabia sobre o temido Nether.

Foi uma aula e tanto! Os meninos ficaram impressionados.

— O Nether é um mundo escuro e triste. Lá, a alegria não existe. Os monstros do Nether são fantasmas horripilantes que vivem a proteger suas terras. Existem rumores de que lá existem tesouros infinitos, mas também monstros desconhecidos e perigosíssimos!

— Nossa! — exclamou Authentic.

SPOK

— Ao chegarem à fortaleza, vocês terão de enfrentar *ghasts* e zumbis-*pigman* apenas para entrar lá. E dentro serão perseguidos por *blazes*, esqueletos *wither* e cubos de magma. Todos eles têm ataques assassinos e potentes!

O ancião ajudou os meninos a juntar as armas e os mantimentos necessários para a empreitada. Arcos, armaduras e espadas mágicas, bem como vários frascos de poção para casos de emergência.

O combinado foi que Spok, Authentic, Likea, Cauê e Nofaxu iriam primeiro. Caso o grupo demorasse muito para voltar, o restante iria partir para lá também.

— Está pronto! — falou o auxiliar do ancião para eles. O homem, que era um hábil ferreiro, tinha ido para ajudar na construção do portal.

— Tá bonito para dedéu! — comentou Cauê, impressionado com a beleza do portal. Tinha sido feito com as pedras de obsidiana que a aldeia do norte doara para eles. Sem uma boa quantidade do minério era impossível criar o portal.

Ao aproximar um isqueiro da fenda quadrada que ficava no centro, o ancião ativou a ignição e uma enorme luz roxa se acendeu dentro da fenda.

A FÚRIA DOS MOBS 2

— Uau! — Pac e Mike correram para ver bem de perto aquela imagem deslumbrante.

— Calma! — gritou o ancião, ao ver que os dois garotos quase caíram lá dentro por causa da excitação.

— Tenham cuidado! — ele ralhou com os dois. — Isso não é um brinquedo.

— Desculpe — falaram os dois, baixando a cabeça e se afastando.

— Daqui a poucas horas vocês já terão tudo arrumado para a expedição — ele falou olhando fixo para as crianças.

— Não será uma tarefa fácil. Os mobs do Nether são muito poderosos e hostis. Lá, vocês terão que usar toda a coragem e força que tiverem. Sentirão fome, sede, um calor de ferver o sangue, e principalmente medo.

— Não sou medroso! — rebateu Authentic enquanto aprontava sua provisão de pólvora. — Nem Spok, nem ninguém aqui. Somos corajosos e invencíveis!

O ancião riu.

— Fico feliz por ouvir isso, bravo menino! De todo modo, esteja preparado. Isso vale para todos

SPOK

vocês — ele falou sério. — Tenham muito cuidado, qualquer passo em falso e não temos como saber para onde vocês irão...

CAPÍTULO 11
EM APUROS

À medida que se aproximavam dos pilares da fortaleza, o calor que vinha do oceano de lava parecia ser ainda maior. Egon podia sentir cheiro de carne assada... Era sua própria batata assando!

Ao atravessar a trilha no meio daquele inferno, eles chegaram à base de uma enorme elevação.

— Vamos subir! — ordenou Maya. Egon a seguiu. O pobre estava tão exausto, que nem sentia mais as pernas. Ele até olhou rápido para elas pra ver se não tinham sido assadas de vez. Por sorte não, estavam em carne viva levemente cozida, mas ainda eram pernas de zumbi.

— Conhecer amigos? — ele perguntou a Maya, tímido.

— Que amigos o quê?! Eu tenho servos e colaboradores. Você é meu servo e eles serão meus colaboradores fiéis. Agora chega de papo e ande mais rápido, seu zumbi fedorento!

Egon suspirou e continuou a sofrida subida; no fundo ele começava a se arrepender de ter feito tudo aquilo por uma criatura que parecia não estar nem aí pra ele.

Após subirem, durante cerca de meia hora, avistaram o objetivo. Maya apressou ainda mais o passo, puxando Egon com a pata, e assim chegaram os dois à entrada da fortaleza.

Não havia portão. Na verdade, só tinha um imenso corredor que dava acesso a um labirinto escuro, de onde saíam vozes e gritos assustadores.

Maya olhou para todos os lados, atenta.

— Me siga e fique em silêncio — ela disse e ele obedeceu.

Começaram a percorrer o túnel escuro, feito de uma madeira escura e exótica. Em alguns pontos havia tochas que iluminavam pedaços do ambiente. Havia também janelas feitas com a mesma madeira, e através delas dava pra ver cascatas de lava caindo.

Ao ouvir um barulho de ossos batendo, Maya parou.

— Fique quieto! — ela disse a Egon.

Sem que Maya esperasse, uma rajada de fogo a atingiu pelas costas.

Ela deu um guincho de raiva e dor. Virou-se rapidamente e avistou dois *blazes* pairando no ar; eles giravam, prontos para soltar mais bolas de fogo nela e em Egon.

Mais barulhos estranhos foram ouvidos. Quatro *ghasts* sinistros apareceram, selando as quatro janelas; e vários esqueletos negros terminaram de encurralar os dois, segurando espadas enfeitiçadas.

Eles não estavam pra brincadeira! Olhavam furiosos para a aranha invasora e para aquele zumbi com cara de bobo.

Dois *ghasts* soltaram duas rajadas de fogo, que explodiram as duas janelas.

— Morrer vai, Egon e rainha! — gritou Egon.

Maya ficou em pânico. Se não agisse logo, seria morta antes de conseguir falar qualquer coisa.

SPOK

Suas costas sangravam por causa dos ferimentos feitos pelo fogo do *blaze*. Ela fez uma careta, respirou fundo e falou o mais alto que conseguiu:

— Eu sou Maya, e sei quem roubou todos os fungos do Nether de suas fortalezas! Estou aqui para ajudá-los!

Sua frase caiu como um raio sobre os mobs, que congelaram; e um segundo depois começaram a chacoalhar numa fúria assassina.

Um dos *blazes* se colocou à frente e vociferou para os esqueletos:

— Levem essa invasora até o *Wither Boss*!

CAPÍTULO 12
ATRAVESSANDO O PORTAL MÁGICO

Perto do cair da noite, já estava tudo pronto para a expedição ao Nether. A verdade era que TODOS, sem exceção, queriam ir até lá e lutar. Levar todos de uma vez, no entanto, não parecia uma boa ideia. Vai que houvesse uma armadilha? Não sobraria ninguém para reforçar a batalha.

— Tá tudo aí, Spok? — perguntou Authentic, apontando para a mochila de couro do amigo.

— Tá sim! — Spok falou ao colocar a mochila nas costas. — Caramba! Que pesado! Parece que tem um zumbi gordo aqui dentro.

— Coloquei bastante mantimento na minha — falou Likea. — Se dependesse só de vocês, a gente ia comer espada e flecha, né?

SPOK

Authentic coçou a cabeça, sem jeito. Muitas vezes ele simplesmente tinha esquecido de levar comida para suas expedições, tendo que caçar de última hora.

— Fiquem tranquilos. Fiz uma relação com todos os itens que estamos levando, inclusive a localização nas mochilas — falou Nofaxu, tirando um grande pedaço de papel do bolso.

— O que seria de nós sem você, né? — exclamou Cauê, bagunçando o cabelo do amigo.

— Sai fora, Cauê! — Nofaxu ralhou, meio sério. — Spok está levando nossas melhores espadas e arcos, assim como uma picareta e um machado pra situação de emergência. Authentic está levando material para explosivos, carvão, pedra, diamantes e nossa mesa de *crafting*. Cauê está carregando mais provisões de materiais e água. Eu estou carregando nossos frascos de poção mágica e armas encantadas que os aldeões nos deram, e Likea está levando mantimentos.

— Perfeito! — exclamou Authentic. — Você é um cara esperto e organizado, Nofaxu.

— Obrigado — Nofaxu respondeu.

— Será que estamos esquecendo de alguma coisa importante? — perguntou Spok para os amigos.

Todos pensaram por alguns instantes.

A FÚRIA DOS MOBS 2

— Uma churrasqueira! — falou Authentic, caindo na risada. — Lá fogo é que não vai faltar.

— Me poupe, Authentic — ralhou Likea.

— Ah, só tô tentando deixar as coisas menos tensas — ele se explicou.

— Acho que reunimos tudo — falou Nofaxu, examinando as mochilas com o olhar. — A gente não tem como adivinhar quanto vai usar de cada coisa, mas pelo menos um pouco de tudo estamos levando... Armas, bebida, comida, poções, itens mágicos e nossas melhores armaduras, que já estamos usando.

— É — concordou Spok com a cabeça.

O velho aldeão que tinha vindo ajudar se aproximou do grupo. Ele mantinha os braços cruzados e olhava fixamente para cada um dos meninos.

— Vocês são jovens e já têm diante de si um desafio de vida ou morte. Vocês têm nas mãos o destino de um mundo inteiro... Mereciam um prêmio só pela coragem e alegria contagiante que possuem — ele esboçou um sorriso bondoso. — É bom sentir a energia boa que cada um de vocês tem, e que se torna ainda mais forte quando estão juntos.

Spok sorriu para os amigos, vermelho. E esboçou uma fala:

SPOK

— Bem... Eu... eu queria dizer que, aconteça o que acontecer, sou agradecido por tudo o que vocês fizeram por mim. Principalmente você, Authentic, que salvou minha vida no primeiro dia que me vi nesse mundo...

Authentic coçou a cabeça, encabulado.

— Ah, mas você me salvou depois naquela fortaleza subterrânea. Se não fosse a maçã dourada que me deu, eu não estaria aqui como estou hoje...

— Likea, Nofaxu, Cauê, Pac, Mike, Jazz, Toddynho... vocês todos — Spok voltou a falar — são meus irmãos! Essa aldeia é minha casa, e Minecraft é o meu mundo — sua voz estava emocionada. — Nós vamos lutar até o fim para salvar nosso lar, nossa vida!

Todo mundo ficou emocionado com as palavras de Spok, que chegara havia pouco tempo, mas já era parte fundamental da vida de todos. Meio sem jeito, foram se aproximando de Spok, o que resultou num belo abraço coletivo.

O aldeão observava, encantado com a amizade e maturidade daqueles adolescentes.

— Tá, tá... — foi se desvencilhando Authentic. — A gente se adora mesmo. Mas agora é hora de partir.

Spok riu e foi para perto do amigo, seguindo-o

até o portal do Nether. Os outros também foram até lá, em silêncio.

Quando chegaram diante da abertura mágica, os cinco se colocaram em fila indiana, com Spok à frente; olharam para trás e se despediram dos amigos, que olhavam ao longe.

Vamos lá! — exclamou Spok, e deu um salto sem volta na porta mágica. Após ele, um a um foram entrando e sumindo...

CAPÍTULO 13
O WITHER BOSS

Maya foi empurrada com brutalidade pelos corredores da fortaleza. Ela estava indignada com aquele tratamento, mas não podia recuar, tinha que ser forte e aguentar até o fim.

Sete esqueletos *wither* conduziam os dois prisioneiros, que desciam por escadarias que pareciam não ter fim. Maya se perguntava se a estavam levando para algum calabouço.

O obediente Egon só seguia a mestra. Não tinha ideia do que o destino lhe reservava. Só lhe restava confiar nos planos da aranha e seguir com ela. O zumbi podia ver que Maya sangrava bastante por causa das bolas de fogo. O abdome dela, que era imenso, tinha sido golpeado em três partes, abrindo feridas feias.

Em certo momento os esqueletos os empurraram para um longo e estreito corredor. Era tão estreito, que Maya teve que fazer contorcionismo com as patas para conseguir passar.

Ao percorrerem uma boa distância do corredor, avistaram uma imensa porta de ferro.

— Fiquem parados aqui! — ordenou um dos esqueletos *wither*. Após os prisioneiros se posicionarem na frente da porta, outro esqueleto sacou uma grande chave e meteu na fechadura. Ela se abriu pesadamente.

Maya arregalou os olhos para ver o que havia lá dentro. Egon ficou de queixo caído.

À frente deles se estendia um imenso salão. Não era feito com aquela madeira da fortaleza, e sim de ouro maciço! As paredes, o teto, os ornamentos... Era como o salão principal de um castelo medieval, mas todo revestido de ouro e pedras preciosas.

— Vamos, andem! — um esqueleto *wither* empurrou Maya e Egon para dentro.

— Oh! — a própria Maya exclamou, não segurando a surpresa.

A FÚRIA DOS MOBS 2

Sem que os guardas pudessem reagir a tempo, ela correu e se prostrou diante do trono de diamante e reverenciou aquele que estava lá.

— Oh, grande mestre *Wither Boss*! — ela falou com uma voz dramática.

Os guardas esqueletos correram até ela, dispostos a matá-la pela desobediência. Seus arcos já estavam prontos para disparar quando uma voz grossa e assustadora os fez parar.

— Não atirem! — a voz falou... Quer dizer, as três vozes!

A coisa que tinha falado era um monstro de três cabeças! A maior delas ficava no centro e as outras duas em cada um dos lados. Eram cabeças de esqueleto *wither*, idênticas às dos guardas. Mas as do monstro eram muito mais assustadoras. Ele era grande e imponente. Não tinha pernas, apenas um longo tronco escuro, e atrás uma cauda como de dragão.

Maya observava, fascinada. Egon também.

Esperta, a aranha sabia que aquele era o momento de dar o bote.

— Grande *Wither Boss*! Eu sou Maya, sua humilde súdita do mundo de Minecraft...

Os olhos vermelhos do monstro a encararam, parecia que deles iam sair fagulhas.

— O que você quer nos meus domínios, ó verme de patas peludas? Eu odeio aranhas, odeio qualquer mob imbecil do mundo da superfície! — sua voz era irada. — Vou mandar estraçalhar seu corpo, assim como o desse zumbi paspalho! Para aprenderem a jamais invadir o nosso mundo!

Maya ficou em choque com tamanha rudeza. Ela própria era rude, mas o *Wither* parecia não dar abertura para qualquer negociação.

Ela tentou não pensar e arriscou, jogando todas as suas fichas:

— Eu entendo, ó majestade suprema do Nether... Peço, humildemente, que perdoe nossa ousadia, mas estamos aqui por um motivo muito maior do que nossa própria vida! — ela guinchou a última palavra.

O *Wither* ficou ainda mais furioso. Ele saiu do trono e foi pairando no ar até chegar diante de Maya. A aranha estava congelada, apavorada, como nunca estivera antes.

— Você é Maya, a aranha ambiciosa do mundo da superfície. — Maya quase caiu para trás. Como ele sabia?

— Já ouvi sobre você. Acha que não temos informantes no seu mundo? — ele esboçou uma risada sinistra.

— Achou que ia conseguir me enganar como fez com os *endermen* ingênuos do *The End*? Ah, deixe-me adivinhar... Iria me dizer que os aldeões de Minecraft tinham roubado nossos fungos do Nether. E aí ia usar do seu veneno para me convencer a atacá-los. É isso?

Maya não podia acreditar no que estava ouvindo. Nem conseguia raciocinar direito. Estava numa bela enrascada.

O *Wither* parecia se deliciar com as reações da aranha. Ela não esperava aquilo, não imaginava que ele era tão esperto e poderoso.

— Mas devo confessar que seu plano era interessante — o monstro falou, e de repente sua voz era amigável. Maya o encarou, sem entender. — Ele me inspirou... — sua gargalhada sinistra ecoou pelo salão.

— Confesso que nunca tinha pensado em sair do Nether, atacar o mundo da superfície. Mas acompanhando aquela batalha desastrosa dos mobs contra os humanos, percebi que a era de supremacia do Nether chegou!

Ele pairou mais acima, agitadíssimo.

— Vocês, mobs comuns, são burros! — e gargalhou. — Muito burros!

Maya começou a não entender nada. O que ele pretendia fazer?

— Nós, mobs do Nether, somos inteligentes e superiores. Somos muito mais poderosos!

Os esqueletos *wither*, que acompanhavam o discurso do mestre, estavam animadíssimos com aqueles elogios.

— Decidi que atacaremos o mundo de Minecraft! E você, Maya, será nossa guia. Ou melhor, nossa escrava!

Maya guinchou de ódio. Estava completamente atordoada pela dor e pelo ódio. Servir ao *Wither Boss* como uma escrava era pior do que perder o controle do exército para o traidor Pedro.

— Jamais! — ela gritou.

O *Wither* riu e voltou a se aproximar dela, com uma expressão de desprezo.

— Você não tem escolha, aranha maldita!...

CAPÍTULO 14
CHEGANDO AO NETHER

Spok foi o primeiro a abrir os olhos. Em seguida Authentic, Likea, Cauê e Nofaxu também acordaram. Tinham levado menos de três segundos para atravessarem o portal mágico.

— Caramba! É quente! — exclamou Authentic, levantando num salto de gato, e tentando ventilar o próprio corpo com as mãos.

— Deve ser porque estamos numa dimensão apelidada carinhosamente de inferno — falou Nofaxu, irônico.

Cauê e Likea começaram a andar em volta, tentando compreender onde estavam. O grupo tinha brotado no alto de um grande vale, todo feito de

SPOK

uma rocha escura. Em alguns cantos saía fogo dessas rochas, como de fogueiras!

— É assustador! — falou Spok, observando três enormes cascatas de lava que caíam do céu escuro, se misturando a um oceano de lava fumegante mais abaixo.

— De onde será que vem tanta lava? — se perguntou, e logo emendou: — Humm, isso aqui tudo deve ser um vulcão gigante!

— Também acho! — afirmou Cauê. — Tanto em cima quanto embaixo é preenchido de lava. Pitombas! Vai ser difícil caminhar por aqui.

— Escutaram isso? — murmurou Likea, de repente.

— Sim! — todos responderam, assustados.

Eram sons horripilantes que ficavam cada vez mais fortes. Pareciam crianças chorando.

— São *ghasts*! — falou Spok. — Rápido! Temos que nos esconder atrás daquela parede de rocha.

Num segundo todos correram até o local indicado por Spok. Com o coração saindo pela boca, os cinco amigos viram um grupo de seis *ghasts* passando bem perto do vale onde estavam.

— Parecem lulas fantasmas — cochichou Authentic. — Confesso que são os monstros mais feios que já vi.

— Parecem estar com pressa. Estão agitados — falou Spok, pensativo.

Quando o perigo se afastou os cinco saíram de trás da parede e voltaram a inspecionar o ambiente.

Spok tirou da bolsa um mapa velho, que tinha sido dado pela bruxa. Ali ela tinha desenhado a localização da fortaleza mestra, provável destino de Maya.

Parecia animador, mas ter aquele mapa não ajudava muito, porque o Nether era um mundo praticamente infinito! A sorte é que, segundo as previsões da bruxa, o local onde fora feito o portal teletransportava para uma região próxima à tal fortaleza. Mas nem elas sabiam dizer a distância exata. Talvez fossem cem quilômetros. Ou talvez mil!

"Sigam os grandes rios de lava; quanto maiores, mais perto vocês estarão da fortaleza. Ela se ergue sobre o maior oceano de lava existente no Nether", ela tinha dito ao entregar o mapa.

— Temos que chegar até aquela trilha estreita — disse Spok, apontando para o caminho rente ao oceano de lava.

— O quê? Tá maluco? — exclamou Cauê, horrorizado. — Vamos ficar a centímetros da lava! Se algum mob nos atacar, vamos cair facinho e morrer!

— Vai ser difícil, mas não temos escolha — falou Authentic dando de ombros e se preparando para descer e ir até o local indicado. — Só temos duas poções de voo. Não podemos usar agora. Deixa de drama, Cauê!

Cauê ficou em choque, respirou fundo e alguns segundos depois foi se acalmando.

— Relaxa, cara, eu lhe protejo — falou Nofaxu rindo para o amigo.

— Tá. O que eu posso fazer? — Cauê suspirou e começou a seguir os amigos.

CAPÍTULO 15
OS TERRÍVEIS PLANOS DO WITHER BOSS

Um guarda zumbi-*pigman* muito mal-encarado foi colocando as algemas apertadas nas oito patas de Maya. Outro prendia as mãos e os pés de Egon.

O *Wither* havia ordenado que Maya fosse algemada e colocada num carrinho de mina, para ser transportada pela fortaleza.

— Depois de tudo, soltaremos você numa grande floresta de Minecraft, Maya, minha amiga; e essa área será toda sua. Tem minha palavra! — ele tinha dito a ela.

Maya teve que concordar. Não tinha escolha. No fundo ela ainda tinha esperança de reverter o jogo. Sabia que era inteligente e articulada. Na hora certa usaria seu veneno para fugir e destruir aquele monstro de três cabeças arrogante.

— Certo, *Wither*, farei o que ordenar — ela concordou.

Mas o que Maya não desconfiava era que o objetivo do *Wither* não era destruir as aldeias humanas e escravizar os mobs de Minecraft. A ideia dele era simplesmente exterminar os mobs e escravizar os humanos!

O *Wither* era um rei inteligente e impiedoso. Para ele os mobs comuns eram simplesmente inúteis. Só os do Nether tinham capacidade de dominar o mundo de Minecraft. Já os humanos tinham uma inteligência interessante, podiam ser usados em benefício dos mobs do Nether. Assim, o domínio do *Wither* seria absoluto!

Por causa desse raciocínio, os dias de Maya estavam contados...

— Tragam a aranha e sigam-me! — o *Wither* ordenou aos guardas.

— Maya, vou lhe mostrar a potência de um verdadeiro exército! — ele disse, e foi guiando o grupo por mais escadarias em direção ao subsolo.

Num certo ponto, avistaram dezenas de mobs do Nether fazendo a guarda de um imenso portão. Maya logo entendeu que era o quartel-general. Como era possível fazer aquilo dentro de uma fortaleza? Ela ficou impressionada.

O *Wither* deu ordem para abrir, e os portões foram escancarados, mostrando toda a grandiosidade que havia ali dentro.

A FÚRIA DOS MOBS 2

Maya quase deixou escapar um *uau!*, mas se segurou. Era dez vezes maior que o quartel do exército mob do mundo da superfície.

Enquanto caminhavam pelo corredor central, o *Wither* mostrava, orgulhoso, o resultado de anos de trabalho.

— Tenho vinte guarnições de nível superior prontas para acordar e, ao meu comando, atacar! Temos os melhores *ghasts*, *blazes*, zumbi-*pigman* e esqueletos *wither*.

— Acordar? — perguntou Maya, ao perceber que os mobs estavam em posição de soldados, mas de olhos fechados. Ela notou que, ligado a cada mob, havia estranhos fios eletrificados que saíam do chão.

— Você é uma aranha estúpida e cega pelo poder, mas é inteligente, coisa rara entre os mobs do seu mundo. Já entendeu o que fiz por aqui.

— Você usou a energia do fogo do Nether para controlar seus mobs! — ela estava perplexa — Com eletricidade...! Mas como?

— Eu sou o comandante supremo. Sou um gênio! Minhas outras duas cabeças me deixam ainda mais genial! — seus olhos faiscavam de orgulho e arrogância. — Pela primeira vez em milhares de anos o Nether tem um rei à sua altura!

— Certo, ó majestade suprema do Universo. Mas ainda não respondeu o que perguntei — rebateu Maya, que já estava perdendo a paciência.

— Passei muito tempo mapeando o interior de todos os mobs de nosso mundo. Inclusive o meu próprio corpo. São estruturas fantásticas! — ele exclamou, animado.

— Humm... continue — falou Maya.

— Descobri que temos uma espécie de interruptor dentro do nosso corpo...

— Interruptor? — estranhou Maya. — Que conversa é essa?

— Não interessam a você os detalhes. Você não merece saber... — ele a olhou com desprezo. — A questão é que aprendi a controlar esse interruptor usando energia. Assim, criei um exército totalmente obediente a mim! Coisa que você falhou miseravelmente... — ele deu uma risada sinistra.

— Entendi... — guinchou Maya, irada.

— Compreendo sua inveja. Não deve ser fácil ver alguém tão superior a você fazendo coisas incríveis — ele a encarou com as três cabeças diabólicas. — Mas agora vamos ao que interessa. Em poucas horas vou acionar o interruptor para ligá-los, e você irá nos guiar até o mundo de Minecraft!

Diante do magnetismo do *Wither*, os guardas ficaram tão hipnotizados, que não perceberam quando Egon foi se arrastando pelo chão, de fininho, até se aproximar da escadaria e começar a fugir lentamente...

CAPÍTULO 16
A CAMINHO DA FORTALEZA

Após caminharem por horas pela faixa estreita, os garotos resolveram dar uma pausa para beber água e descansar.

— Cara, esse é o pior dia da minha vida! — falou Cauê caindo no chão, exausto.

— Nossas armaduras deixam tudo pior. São pesadas e quentes. Estamos realmente no inferno! — desabou Authentic.

— Força, pessoal! — falou Spok, o único que ainda não tinha sucumbido ao calor infernal do lugar. — Sinto que estamos perto. A bruxa disse pra gente confiar na intuição. Preciso que sejam fortes e sigam comigo!

SPOK

— Certo, Spok! — falaram Likea e Nofaxu.

Em poucos minutos eles tomaram água e comeram, sentindo-se imediatamente revigorados!

— Vamos nessa! — falou Authentic.

O grupo caminhou por quase duas horas na faixa estreita! Era uma atividade sofrida e penosa. Por algum motivo o solo tinha começado a ficar diferente, fazendo com que caminhar ficasse ainda mais difícil.

— Estamos pisando em areia das almas... — falou Nofaxu pegando um punhado da areia pesada na mão. — É o pior solo para caminhar, o aldeão tinha comentado.

— Parece que estou pesando uma tonelada — lamentou Cauê.

— Eu também — falou Likea. — E olha que sou magrela!

— Olhem lá! — falou Spok, de repente, apontando para um ponto ao longe.

Os quatro olharam, mas não viram nada; o cansaço e o calor começavam a afetar a visão deles.

— Só vejo a mesma porcaria de cascata de lava! — falou Authentic, triste.

— Olhem bem! — Spok falou, animado.

— Oh! — gritou Likea, dando um salto. — São... São pilastras!

— Sim! — gritou Spok, sem conter a euforia.

Os outros começaram a enxergar também.

— São os pilares da fortaleza! — disse Cauê com os olhos brilhantes.

— Nosso calvário está terminando... Ou só começando — disse Authentic, reflexivo.

×××

Egon aproveitou-se da distração dos guardas e fugiu de mansinho. Assim que alcançou o topo do primeiro lance de escadas, apressou o passo e foi se esgueirando pelos cantos escuros, subindo, subindo...

Algum interruptor de perigo tinha sido ligado dentro do zumbi, e ele entendeu que se não fizesse nada naquele momento, toda a sua raça seria destruída. Para sempre!

Mas o que ele poderia fazer? Sair gritando não ajudaria em nada. Então pensou no portal por onde ele e Maya tinham passado para chegar ao Nether. Entendeu que devia ir até lá e voltar ao mundo de Minecraft para alertar os outros mobs.

SPOK

"Mim Egon ter missão sagrada. Maya traidora. Mim ser zumbi bobo, mas redimir", ele pensou enquanto fugia, sorrateiro.

Por acaso ele passou perto de uma sala onde havia uniformes de mobs quando descia com Maya. Então foi até lá e roubou um uniforme de zumbi-*pigman*. Pegou também uma espada de ouro e treinou a voz de um porco. Rápido e desengonçado, andou escada acima até chegar à saída.

Passou por vários *ghasts* e *blazes*, que não notaram nada diferente. Estava bem próxima a saída quando viu um bando de zumbi-*pigman* reunidos, conversando.

Egon congelou. O grupo começou a andar na direção dele, mas por sorte passou direto, nem olharam na cara dele.

"Ufa, Egon salvou."

Tinham se passado alguns minutos, e ele estava perto da saída principal quando ouviu o alarme ecoando por toda a fortaleza. O tal alarme eram gritos horrendos de *ghasts*! Egon teve que tampar os ouvidos com as mãos para que não explodissem.

Segurou a respiração e saiu em disparada pelo portão, deparou-se com a descida quase na vertical do vale e decidiu se jogar.

A Fúria dos Mobs 2

"Agora ou nunca", ele pensou, e se deixou rolar como uma pedra vale abaixo. A armadura foi sendo surrada pelas pedras. A espada de ouro ficou toda torta. O pobre zumbi não tinha mais dúvida de que morreria.

Após muitos metros de descida dolorosa, ainda ouvindo o alarme arrepiante dos *ghasts*, ele atingiu o chão, ou melhor, atingiu alguém que o olhava aterrorizado. A pessoa vestia uma bela armadura de diamantes.

— Mate-o! — falou Likea para Spok, que tinha o zumbi sob seus pés.

— Não! — balbuciou Egon, trêmulo e sangrando. — Mim ser zumbi Egon. Não fazer mal ninguém. Ter missão agora.

Spok abaixou-se, confuso. Os outros se aproximaram para proteger o amigo.

— Do que está falando, zumbi-*pigman*? — perguntou Authentic.

Quase morto pela queda, Egon juntou o resto de forças que tinha e tirou o capacete de zumbi.

— Mim ser zumbi de Minecraft, não inferno aqui. Maya mestra lá embaixo com monstro três cabeças. Exército milhões atacar nosso mundo.

SPOK

Mobs nether vão acordar daqui a pouco. Nós todos morrer!

Com mais algumas frases confusas, Egon explicou o que tinha presenciado com Maya e o *Wither*.

Um arrepio percorreu a espinha dos cinco amigos. Junto aos gritos arrepiantes dos *ghasts*, eles tinham que atacar naquele momento. Não importava como!

— Leve-nos até lá agora! — ordenou Spok ao zumbi.

CAPÍTULO 17
A BATALHA

Em sua sala de ouro, o *Wither* pairava no ar de um lado para outro, dando ordens a grupos de guardas.

— Joguem aquele zumbi idiota na lava! Quero que tenha uma morte lenta e dolorosa. Quanta audácia! — o *Wither* estava furioso, mas não muito preocupado. — Até parece que um zumbi burro como aquele poderia ser um risco para mim.

Maya escutava tudo calada, algemada. Em sua mente passavam pensamentos assassinos. Agora, em vez de destruir a aldeia dos humanos, seu objetivo maior era acabar com a raça do *Wither*. Ela teria que bolar um plano para mostrar àquele esnobe quem mandava na parada.

Os mobs líderes do Nether receberam as ordens finais do *Wither*.

SPOK

— General *Blaze*, você guiará os *blaze*s soldados até as aldeias humanas. Faça-os queimar tudo, quero todos os humanos encurralados no fogo; para isso, usem todos os cubos de magma! General *Ghast*, leve os *ghast*s soldados até os covis de mobs e destruam tudo, enlouqueça-os com seus sons. No mundo deles nenhum mob é imune ao som de um *ghast*. General Zumbi-*pigman*, providencie a captura dos escravos humanos de todas as aldeias, e eu guiarei meu exército de esqueletos *wither* para deter as bruxas dos pântanos, essas são as mais perigosas...

— Suas ordens serão obedecidas, mestre! — os generais responderam.

— Maya nos forneceu a localização exata de todas as aldeias humanas e covis de mobs... Ela é uma boa amiga — o *Wither* riu com escárnio. — Depois eu direi o que faremos com os mobs...

— Como assim? — guinchou Maya, sem entender.

— Nada demais, minha amiga. Você vai gostar de saber, tenho certeza.

Maya ia argumentar, quando o *Wither* fez sinal para ela calar a boca.

— Não tenho tempo para conversas tolas agora. Tenho muito o que fazer. Venham, generais, vamos até a torre de detonação. A guerra irá começar, e nós vamos vencer!

Os sinistros generais se colocaram em posição atrás do chefe. Todos começaram a marchar em direção ao misterioso centro de controle do *Wither Boss*.

× × ×

Atrás do *Wither* ia um verdadeiro pelotão. O monstro de três cabeças os guiava orgulhosamente até seu centro de comando. Mais atrás um guarda carregava Maya num carrinho de mina.

— Por aqui — ele disse, e conduziu o pelotão até o final de um extenso corredor, cerca de cinco andares acima da sala de ouro. Maya se convenceu de que aquela fortaleza tinha sido transformada num labirinto, e só o *Wither* sabia a localização das peças importantes do jogo.

— Alto! Esperem! — o *Wither* falou, enquanto se aproximava de uma porta de diamante maciço! Ele fez algo misterioso na fechadura e ela de repente se abriu, abrindo mais uma série de cinco portas, igualmente de diamante.

Do lado de fora era possível ver que lá dentro tinha coisas que brilhavam. Era um verdadeiro laboratório.

SPOK

— Venham, meus generais! — exclamou o *Wither* em tom de empolgação. — Vamos apertar juntos o botão de uma nova era para os mobs do Nether!

O *Wither* sentiu um estranho vento passando por cima de sua cabeça. Em menos de um segundo percebeu do que se tratava. Seus olhos se encheram de uma fúria assassina.

Imediatamente os generais se viraram e se colocaram em posição de ataque, criando um cerco de proteção para o *Wither*.

Na ponta do corredor estavam Spok, Authentic, Likea, Nofaxu e Cauê com seus arcos e espadas encantadas, prontos para matar ou morrer.

— Matem os intrusos! — o *Wither* vociferou e os guardas da frente correram até os garotos.

Mas eles não esperavam a explosão de uma bola de fogo imensa que fez dez esqueletos *wither* virarem pó e abriu uma gigantesca cratera no chão.

— Toma essa, mané! — gritou Authentic, que tinha lançado uma bomba feita por ele mesmo.

O General *Ghast* entoou um grito arrepiante, que causou um alvoroço de vozes iguais, vindas do lado de fora. Pela janela era possível ver uma nuvem de *ghasts* vindo atender ao chamado do mestre.

— Corram! — gritou Spok. — Vamos nos dividir e atacar. Eu fico de olho no grandão.

Num *flash*, aproveitando a fumaça da explosão, eles correram, espalhando-se pelos corredores e ruínas da cratera recém-criada.

Aproveitando a confusão, Maya tentava se desprender das algemas, mas elas eram firmes demais. O *Wither* observava a batalha atrás de uma cortina de guardas. Seu olhar era enfurecido. Não imaginava que pudesse ser atacado daquele jeito em seu próprio domínio. A obsessão por acordar o exército o fez relaxar sobre a segurança da fortaleza.

Dezenas de *ghasts*, *blazes*, cubos de magma e zumbis-*pigman* entraram pelas janelas da fortaleza como ratos saindo do porão de um navio.

Bum! Bum! Bum!

— O que é isso? — gritou o *Wither* para um de seus generais.

— São explosivos, majestade... — o general estava suando frio. Como explicar a presença de explosivos que tinham surgido do nada?

— Estão explodindo os acessos de todas as escadarias! — gritou o *Wither*, desesperado. — Eles... Querem enterrar meu exército! — a voz do *Wither* se tornou um verdadeiro trovão de ódio. — Isso jamais!

SPOK

Ele se virou para entrar em seu laboratório, determinado a apertar o botão imediatamente. Entrou e foi pairando no ar até chegar perto do mecanismo. Foi quando um golpe azulado estrondou sobre sua cabeça principal, fazendo-o pairar no ar, tonto por alguns segundos.

— O que foi isso? — ele gritou tentando entender o que tinha acontecido.

BUM!

Algo explodiu na sua frente. Quando a fumaça foi baixando ele viu só os pedaços de seu precioso centro de controle, completamente destruído.

O *Wither* se contorceu numa fúria colossal. Começou a lançar bolas de fogo e choques de pressão ao seu redor. Mirava a espada azul, que era segurada por um odioso ser que parecia um fantasma.

— Eu vou destruir você, seu verme maldito! Mob desgraçado!

— Não sou um mob, sou humano! — falou Spok piscando o olho enquanto se preparava para um novo golpe.

As três cabeças do *Wither* se encheram de pavor.

Seu plano tinha fracassado terrivelmente. Ele tinha menosprezado a ingenuidade de Maya em seu plano em Minecraft, mas com ele acontecera a mesma coisa. Ou melhor, estava acontecendo naquele momento!

A FÚRIA DOS MOBS 2

Os explosivos mágicos de Authentic estavam fazendo um estrago fenomenal na estrutura da fortaleza. Eles sabiam que tinham que sair depressa...

— Nunca subestime a força de nós, humanos! — exclamou Spok antes de enfiar sua longa espada de diamante na cabeça principal do *Wither*, que caiu no chão, contorcendo-se e logo começou a desintegrar-se.

— Vamos, Spok! — gritou Authentic, que o esperava no portão, enquanto lutava com três *blazes* furiosos.

— Aonde pensa que vai, mocinho? — falou uma voz cavernosa. E Spok sentiu algo peludo segurar seus pés e derrubá-lo com força.

— Você e seus amigos me fizeram perder tudo, mas pelo menos um prazer eu vou ter: o de acabar com sua vida miserável! — Maya guinchou e preparou-se para dar seu bote assassino na cabeça de Spok.

Foi quando algo saiu do nada e cravou uma estaca de ferro no abdome peludo da aranha.

— Você! Maldito! — ela gritou, se debatendo no chão, enquanto sangrava terrivelmente.

— Mim Egon errou. Maya não merecer. Egon só consertar as coisas.

— Muito bem, Egon! — falou Spok, que já começara a simpatizar com o inusitado novo amigo.

BUM!

— O teto vai desabar! Temos que descer pelas escadas externas imediatamente! — gritou Cauê.

Todos seguiram a voz dele e correram para uma minúscula janela que dava para uma escada quase infinita fora da fortaleza. Era uma saída de emergência que tinham avistado muito antes de chegar lá.

Blazes, *ghasts* e esqueletos *wither* começaram a correr atrás deles, para impedir que alcançassem a escada. Bolas de fogo e flechas envenenadas zuniam em suas cabeças.

De súbito, Authentic sacou algo de sua mochila quase vazia e acendeu o pavio.

— *Hasta la vista*, otários! — e jogou sua bomba mais poderosa, enquanto corria até a janela. Demorou cerca de cinco segundos até a bomba detonar, tempo suficiente até que os cinco começassem a descer a escada.

BUM! Não foi uma explosão qualquer. Foi uma explosão de sumiço!

— Vamos, bebam! — gritou Authentic passando a poção de voo para os amigos.

Cada um tomou um gole. Spok colocou Egon nas costas, e como pássaros fugindo de um incêndio, os seis voaram para longe da fortaleza que aos poucos se consumia em mais e mais chamas.

CAPÍTULO 18
SEMPRE JUNTOS

Pouco tempo depois, a salvo no alto de uma montanha de rocha, todos arfavam deitados no chão, olhando ao longe a enorme fogueira que queimava. Vez ou outra acontecia uma explosão violenta. Desesperados para salvar seu lar, os mobs do Nether continuavam lá dentro lutando em vão para salvá-la. Não podiam lutar contra o fogo, até porque eles próprios só produziam fogo.

Destruídos pela própria arma principal, os mobs iam morrendo um a um, fiéis ao *Wither* até seu último segundo.

Nas profundezas de lava, milhares de mobs silenciosos desintegravam... Os soldados que dormiriam para sempre.

SPOK

Mais uma vez aquele grupo de bravos amigos tinha conseguido salvar o mundo de Minecraft de uma ameaça tenebrosa. Feridos, exaustos, mas felizes, eles se abraçaram e puxaram Egon para junto deles.

Unidos, ninguém poderia detê-los jamais.

LEIA TAMBÉM

O amado quarteto: Felipe, Peter, João e Victor viverão uma aventura que nem o mais crente dos habitantes de Mine poderia imaginar. Eles despertaram Herobrine, que muitos julgavam ser apenas uma lenda, e agora precisarão correr contra o tempo para tentar derrotar o ser mais poderoso e maligno do mundo, derrotando zumbis, esqueletos e aranhas, enquanto torcem para encontrar o único ser que poderá ajudá-los, o primeiro homem de Mine.

A FÚRIA DOS MOBS

Spok acordou no mundo fantástico de Minecraft. O susto de estar numa dimensão toda quadrada e esquisita não é tudo... Logo Spok irá encontrar um bando de monstros terríveis que querem acabar com ele. Mas ele não está só. Neste surpreendente *A fúria dos Mobs* ele conta com seus amigos Pac, Mike, Authentic, Toddynho, Moonkase, Cauê, Likea, Nofaxu, Malena, Jabuti e Jazz. Todos são personagens e todos correm dos inimigos Pedro e Maya, a aranha, entre outros seres aterrorizantes. E tem uma coisa ainda pior! Algo muito estranho está acontecendo com esses monstros, que sempre foram meio abobalhados... Eles não querem acabar só com Spok e seus amigos, e com uns poucos aldeões indefesos. Eles querem aprisionar todos os seus inimigos numa fortaleza sombria do Nether. Para sempre! Eles querem o mundo de Minecraft só para eles. Mas os mobs não vão conseguir isso tão fácil. Numa pequena aldeia, onde todos os amigos de Spok moram, eles vão resistir e lutar contra esse terrível exército É tudo ou nada! Embarque nessa aventura eletrizante!

INFORMAÇÕES SOBRE A
Geração Editorial

Para saber mais sobre os títulos e autores
da **Geração Editorial**,
visite o *site* www.geracaoeditorial.com.br
e curta as nossas redes sociais.

Além de informações sobre os próximos lançamentos,
você terá acesso a conteúdos exclusivos
e poderá participar de promoções e sorteios.

🏠 geracaoeditorial.com.br

f /geracaoeditorial

🐦 @geracaobooks

📷 @geracaoeditorial

Se quiser receber informações por *e-mail*,
basta se cadastrar diretamente no nosso *site*
ou enviar uma mensagem para
imprensa@geracaoeditorial.com.br

Geração Editorial

Rua João Pereira, 81 – Lapa
CEP: 05074-070 – São Paulo – SP
Telefone: (+ 55 11) 3256-4444
E-mail: geracaoeditorial@geracaoeditorial.com.br